Acerca de KUMON

¿Qué es Kumon?

Kumon es la empresa líder mundial en educación suplementaria y un líder en la obtención de resultados académicos sobresalientes. Los programas extracurriculares de matemáticas y lectura proporcionados en los centros Kumon alrededor del mundo han contribuido al éxito académico de los (las) niños(as) por más de 50 años.

Los cuadernos de ejercicios de Kumon representan tan sólo una parte de nuestro currículo completo, que incluye materiales desde nivel preescolar hasta nivel universitario, y se enseña en nuestros Centros Kumon bajo la supervisión de nuestros(as) instructores(as) capacitados(as).

El método Kumon permite que cada niño(a) avance exitosamente mediante la práctica hasta dominar los conceptos progresando gradualmente. Los (las) instructores(as) cuidadosamente asignan tareas a sus alumnos(as) y supervisan su progreso de acuerdo a las destrezas o necesidades individuales.

Los (Las) estudiantes asisten usualmente a un centro Kumon dos veces por semana y se les asignan tareas para que practiquen en casa los restantes cinco días. Las tareas requieren aproximadamente de veinte minutos.

Kumon ayuda a estudiantes de todas las edades y con diferentes aptitudes a dominar los fundamentos básicos de una asignatura, mejorar sus hábitos de estudio y la concentración y adquirir mayor confianza.

¿Cómo comenzó Kumon?

HACE 50 AÑOS, EN JAPÓN, Toru Kumon, un padre y maestro, encontró la forma de ayudar a su hijo Takeshi a mejorar su rendimiento académico. Siguiendo los consejos de su esposa, Kumon desarrolló una serie de ejercicios cortos que su hijo podría completar exitosamente en menos de veinte minutos diarios, los cuales ayudaron poco a poco a que la matemática le resultara más fácil. Ya que cada ejercicio era ligeramente más complicado que el anterior, Takeshi pudo adquirir el dominio necesario de las destrezas matemáticas mientras aumentaba su confianza para seguir avanzando.
El hijo de Kumon tuvo tanto éxito con este método único y autodidacta, que Takeshi pudo realizar operaciones matemáticas de cálculo diferencial e integral en sexto grado. El Sr. Kumon, conociendo el valor de una buena comprensión lectora, desarrolló un programa de lectura utilizando el mismo método. Estos programas constituyen la base y la inspiración que los centros Kumon ofrecen en la actualidad bajo la guía experta de instructores(as) profesionales del método Kumon.

Sr. Toru Kumon
Fundador de Kumon

¿Cómo puede ayudar Kumon a mi hijo(a)?

Kumon está diseñado para niños(as) de todas las edades y aptitudes. Kumon ofrece un programa efectivo que desarrolla las destrezas y aptitudes más importantes, de acuerdo a las fortalezas y necesidades de cada niño(a), ya sea que usted quiera que su hijo(a) mejore su rendimiento académico, que tenga una base sólida de conocimientos, o resolver algún problema de aprendizaje, Kumon le ofrece un programa educativo efectivo para desarrollar las principales destrezas y aptitudes de aprendizaje, tomando en cuenta las fortalezas y necesidades individuales de cada niño(a).

¿Qué hace que Kumon sea tan diferente?

Kumon está diseñado para facilitar la adquisición de hábitos y destrezas de aprendizaje para mejorar el rendimiento académico de los (las) niños(as). Es por esto que Kumon no utiliza un enfoque de educación tradicional ni de tutoría. Este enfoque hace que el (la) niño(a) tenga éxito por sí mismo, lo cual aumenta su autoestima. Cada niño(a) avanza de acuerdo a su capacidad e iniciativa para alcanzar su máximo potencial, ya sea que usted utilice nuestro método y programa como un medio correctivo o para enriquecer los conocimientos académicos de su hijo(a).

¿Cuál es el rol del (de la) instructor(a) de Kumon?

Los (Las) instructores(as) de Kumon se consideran mentores(as) y tutores(as), y no profesores(as) en un sentido clásico. Su rol principal es el de proporcionar al (a la) estudiante el apoyo y la dirección que lo (la) guiará a desempeñarse al 100% de su capacidad. Además de su entrenamiento riguroso en el método Kumon, todos los (las) instructores(as) Kumon comparten la misma pasión por la educación y el deseo de ayudar a los (las) niños(as) a alcanzar el éxito.

KUMON FOMENTA:

- El dominio de las destrezas básicas de las matemáticas y de la lectura.
- Una mejora en el nivel de concentración y los hábitos de estudio.
- Un aumento de la confianza y la disciplina del (de la) alumno(a).
- El alto nivel de calidad y profesionalismo en todos nuestros materiales.
- El desempeño del máximo potencial de cada uno(a) de nuestros(as) alumnos(as).
- Un sentimiento agradable de logro.

▶▶ COMENZAR CON KUMON ES FÁCIL. Simplemente llámenos o visite nuestra página en Internet para solicitar nuestro folleto informativo y localizar un centro Kumon cerca de usted. Un(a) instructor(a) certificado(a) le atenderá con gusto, le explicará cómo funciona Kumon, le ayudará a manejar las necesidades de su hijo(a) y le pasará un examen de ubicación gratuito. ¡Contáctenos hoy mismo!

USA o Canada	800-ABC-MATH (English only)	www.kumon.com
Argentina	54-11-4779-1114	www.kumonla.com
Colombia	57-1-635-6212	www.kumonla.com
Chile	56-2-207-2090	www.kumonla.com
España	34-902-190-275	www.kumon.es
Mexico	01-800-024-7208	www.kumon.com.mx

Vamos de compras!

Corta por ▬▬. Comienza desde ➡.

¿Quién es más rápido?

Corta por ▬▬▬. Comienza desde ➡.

A los padres
Pida a su hijo(a) que corte sobre las líneas negras.
No se preocupe si corta fuera del área negra.

 **Fruta**

Corta por ▬. Comienza desde ➡.

A los padres
Pida a su hijo(a) que corte sobre las líneas negras.
No se preocupe si corta fuera del área negra.

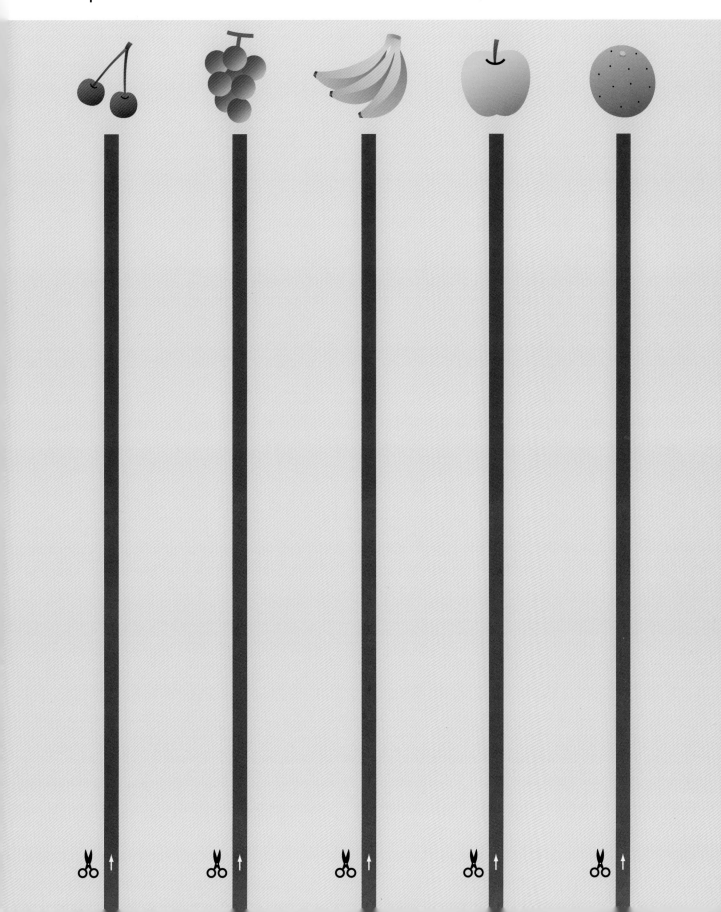

La carrera olímpica de los animalitos

Corta por ▬▬. Comienza desde ➡.

A los padres
Para facilitar el corte a lo largo de las líneas negras, pida a su hijo(a) que gire la figura de manera que pueda cortarla alejándola de su cuerpo (tal como se muestra en el esquema).

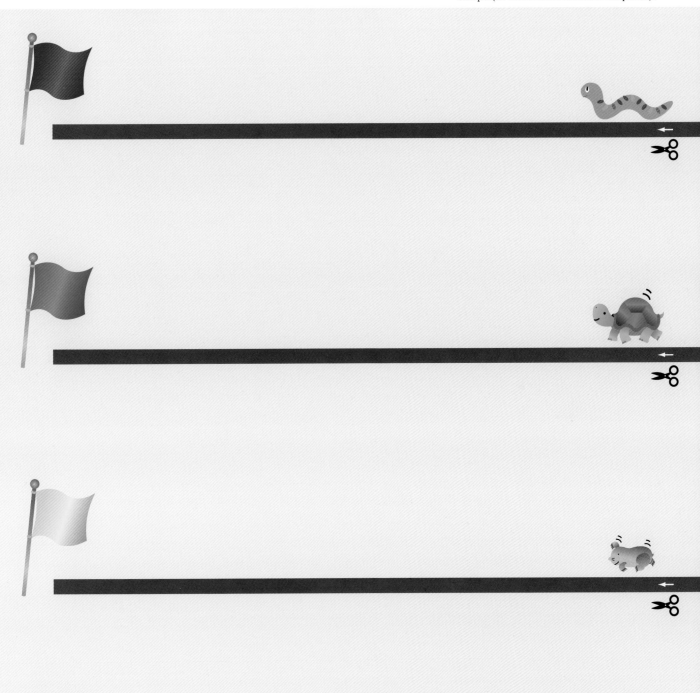

¡Hagamos un Tren!

Cuando termines de cortar las piezas, pégalas todas juntas con cinta adhesiva, tal como se muestra en la figura.

Cut ▬▬▬▬. Start from ➡.

6 ¡Hagamos unos peines!

① Primero, corta las dos líneas negras largas horizontales.

② Luego corta las dos líneas negras largas verticales.

③ Corta los espacios que se encuentran entre los dientes del peine. Cuando termines, utiliza el peine para peinar tu cabello.

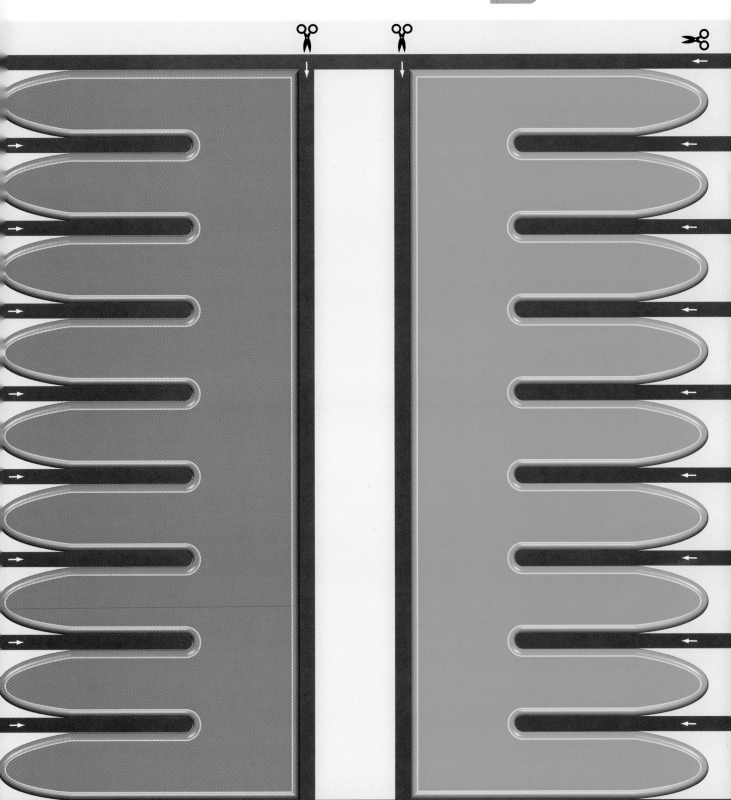

Corta por ▬▬▬. Comienza desde ➡.

8 Serpientes deslizándose

Corta por ▰▰▰. Comienza desde ➡.

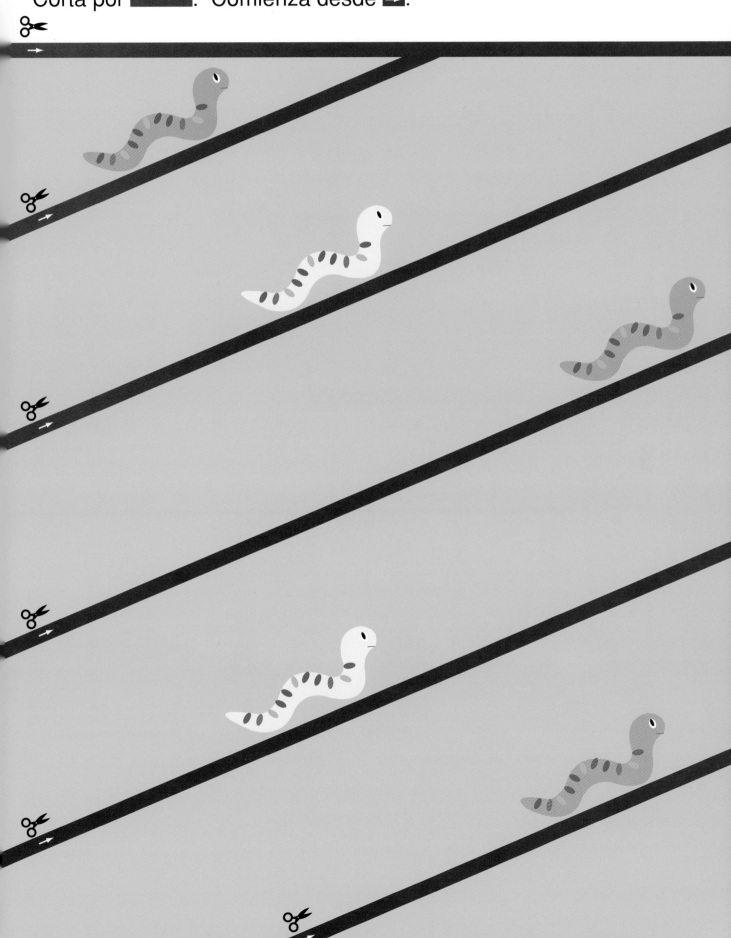

La liebre y la tortuga

Corta por ▬▬▬. Comienza desde ➡.

10 Pelotas que ruedan

Corta por ▬▬▬. Comienza desde ➡.

11 Topos

Corta por ▰▰▰. Comienza desde ➡.

 **¡Son las tres en punto!**

Corta por ▬▬▬. Comienza desde ➡.

13 Edificios

Corta por ▬▬▬. Comienza desde ➡.

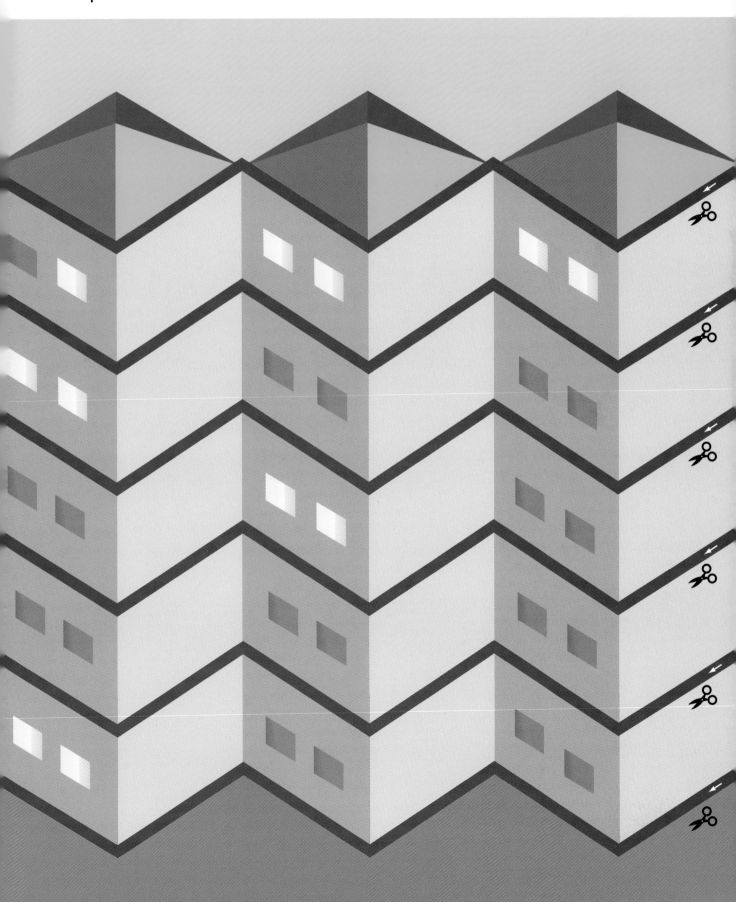

 **¡Buenas noches!**

Cómo jugar

Acuesta a la niña en su camita. Cúbrela con la frazada.

Corta por ▬▬▬. Comienza desde ➡.

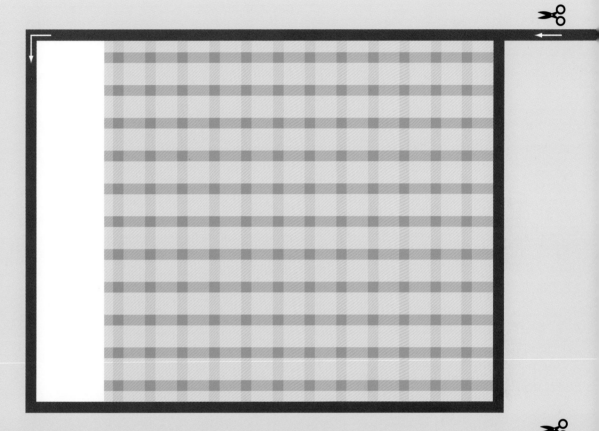

Barra de Chocolate

Corta por ▬▬. Comienza desde ➡.

Móvil

① Corta la parte superior de la figura.

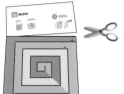

② Corta a lo largo de la línea negra al interior de la figura.

Cómo jugar

Levanta el centro de la figura y cuélgala como si fuese un móvil.

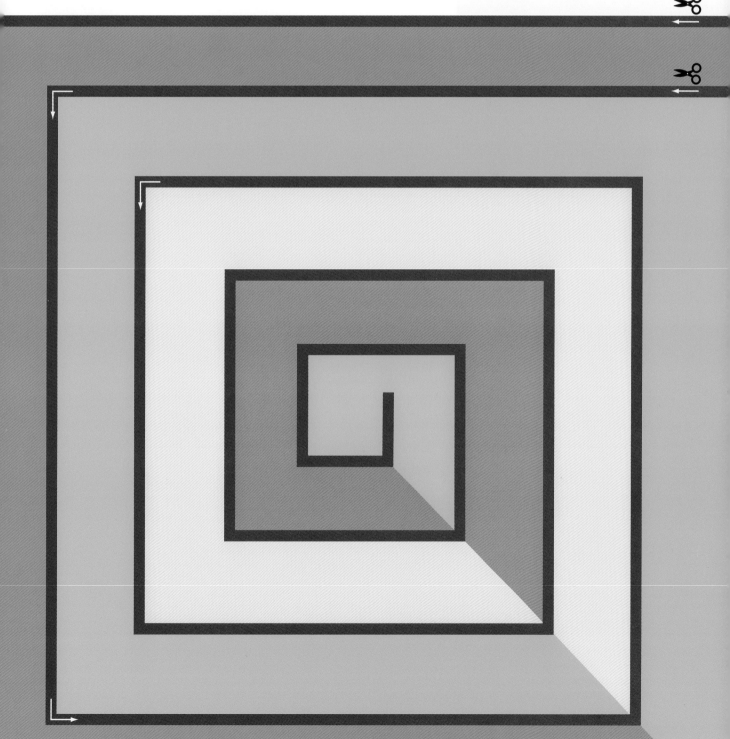

 **Techos**

Corta por ▬▬. Comienza desde ➡.

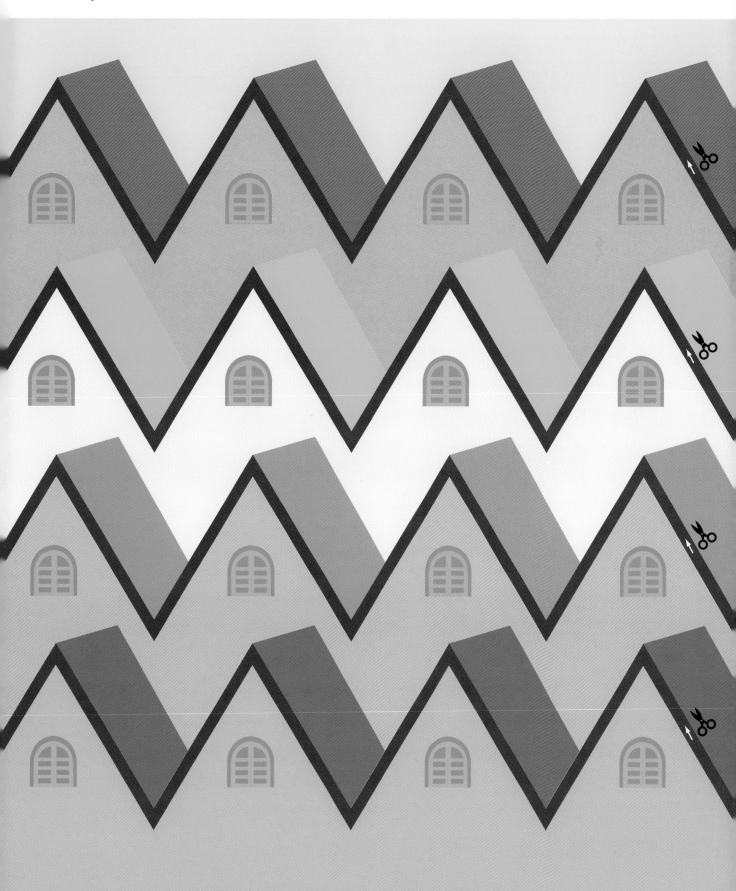

 **¡Hagamos sándwiches!**

Corta por ▰▰▰. Comienza desde ➡.

19 El sol

Corta por ▬▬. Comienza desde ➡.

20 Una huerta de zanahorias

Corta por ▬▬. Comienza desde ➡.

 **Zorrito**

Corta por ▰▰▰. Comienza desde ➡.

¿De qué color es el arco iris?

Corta por ▬▬▬. Comienza desde ➡.

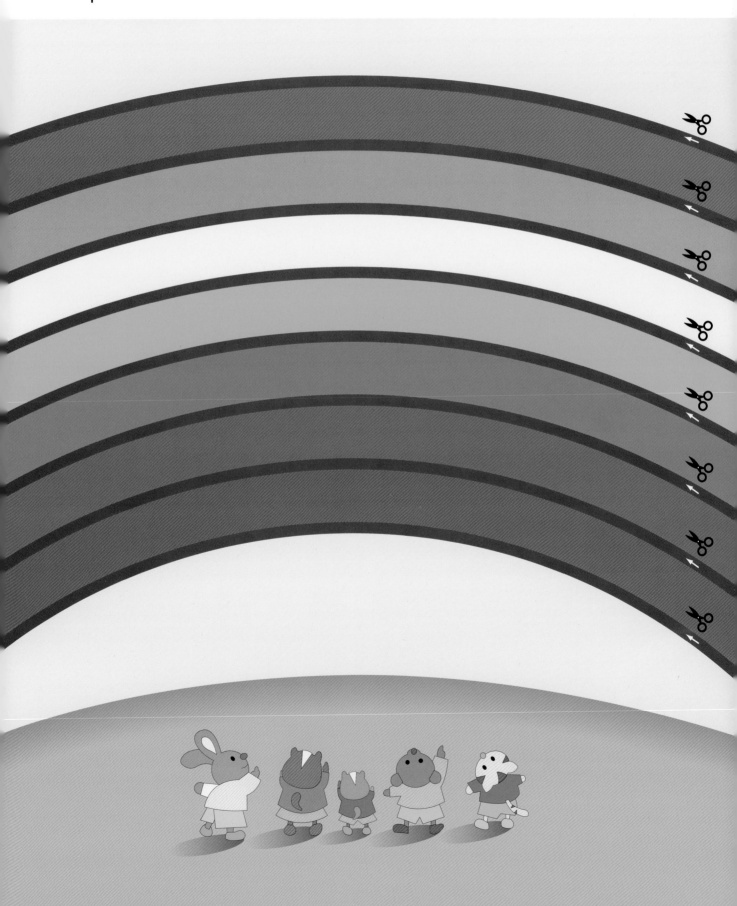

 **Túnel**

Corta por ▬▬▬. Comienza desde ➡.

 **Pelota de baloncesto**

Corta por ▬. Comienza desde ➡.

 **¡Hagamos una hamburguesa!**

Corta por ▬▬. Comienza desde ➡.

26 ¿Cuál pelota te gusta?

Corta por . Comienza desde ➡.

Serpiente

Corta a lo largo de la línea negra.

Cómo jugar

Levanta la parte central de la figura y ¡observa como se menea!

 **Olas**

Corta por ▬▬. Comienza desde ➡.

¡Vamos a conducir!

A los padres
Pida a su hijo(a) que corte a lo largo de la línea negra comenzando por donde el desee.

Corta por ▬▬.

30 ¡Eres un piloto!

A los padres
Pida a su hijo(a) que corte a lo largo de la línea negra comenzando por donde el desee.

Cómo jugar

Zuum

Corta por ▬▬▬.

31 Plátano

Corta por ▬▬.

A los padres
Pida a su hijo(a) que corte a lo largo de la línea negra comenzando por donde el desee.

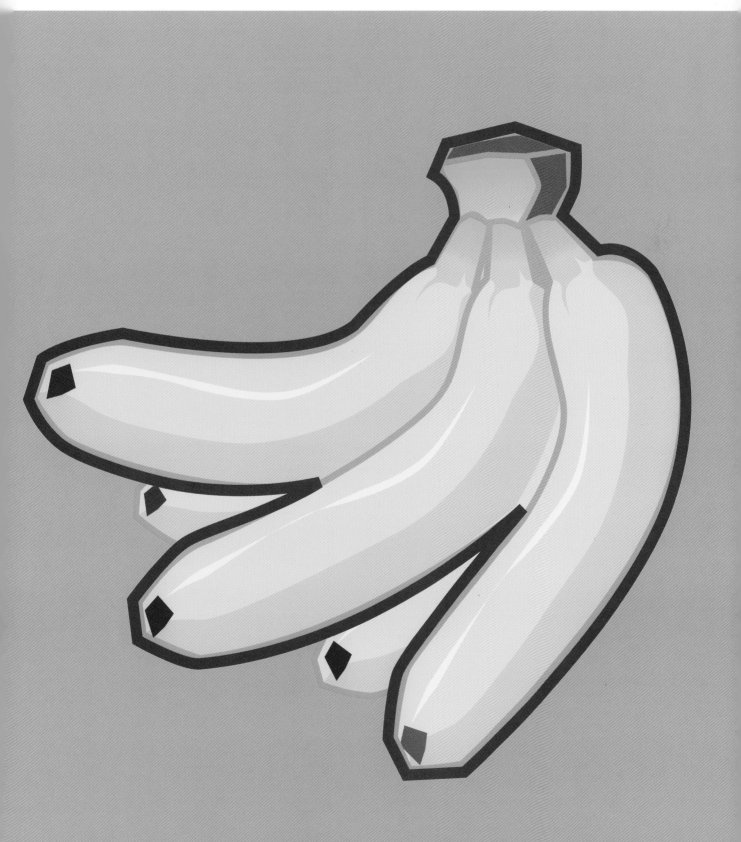

32 Árbol

A los padres
Pida a su hijo(a) que corte a lo largo de la línea negra comenzando por donde el desee.

Corta por ▬▬.

Tortuga

① Recorta la figura cortando por la línea negra.

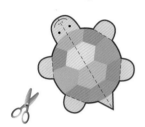

② Dobla por la líneas punteadas (---).

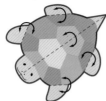

✳ ¡No cortes por la líneas punteadas (---)! Estas líneas son solo para doblar.

Cómo jugar Presiona la espalda de la tortuga y la tortuga se deslizará hacia adelante.

Cabeza de elefante

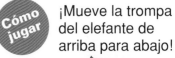

Cómo jugar ¡Mueve la trompa del elefante de arriba para abajo!

① Recorta la figura cortando por la línea negra.

② Recorta la figura cortando por la línea negra (---).

＊¡<u>No</u> cortes por la línea punteada (---)! Esta línea es solo para doblar.

35 Collar

① Corta a lo largo de la línea negra exterior.

② Corta la línea negra corta que está en la parte trasera del collar.

③ Recorta el interior del círculo.

Cómo jugar

Coloca tu nuevo collar en tu cuello.

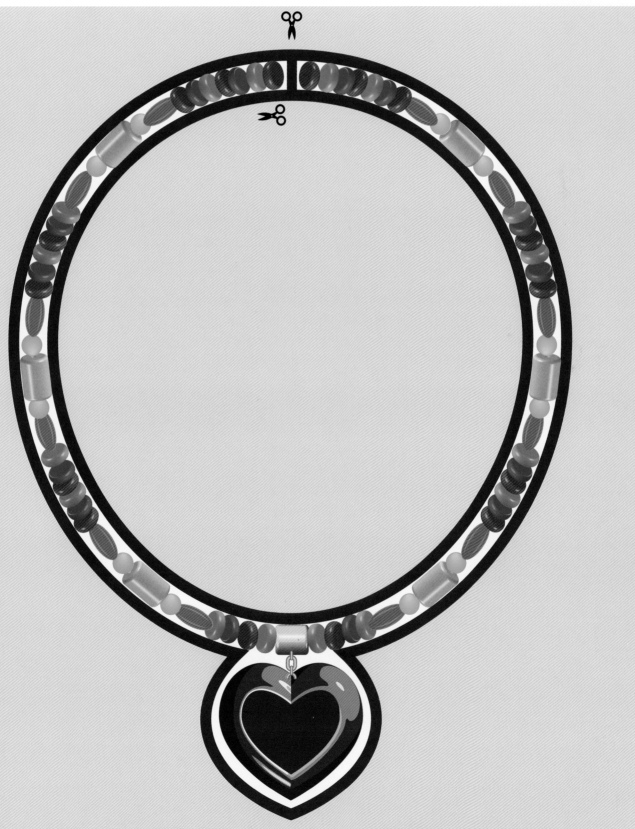

36 Carro

① Recorta la figura cortando por la línea negra.

② Dobla por la línea punteada (- - -).

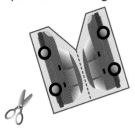

Cómo jugar

Movamos el coche

brum brum

✳ ¡<u>No</u> cortes por la línea punteada (- - -)! Esta línea es solo para doblar.

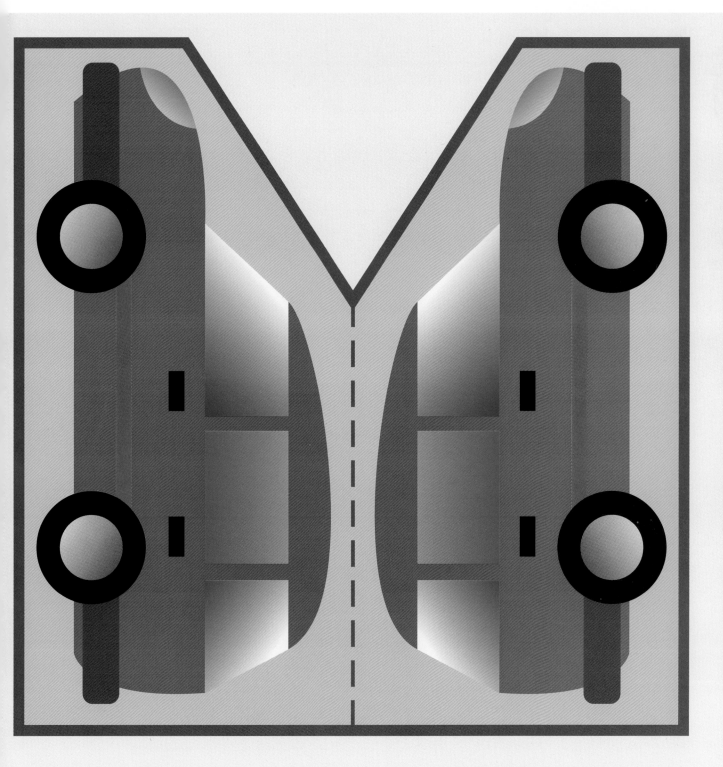

 **Perrito**

① Recorta la figura cortando por la línea negra.

② Dobla por la línea punteada (---).

＊¡No cortes por la línea punteada (---)! Esta línea es solo para doblar.

38 Hipopótamo y elefante

① Recorta la figura cortando por la línea negra.

② Dobla por la línea punteada (---).

✳ ¡No cortes por la línea punteada (---)! Esta línea es solo para doblar.

✳ El elefante se arma de la misma manera.

Libélula

① Recorta la figura cortando por la línea negra.

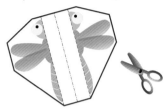

*¡No cortes por la línea punteada (--- / -·-)!
Estas líneas son solo para doblar.

② Dobla por la línea punteada(---) interior. Luego dobla por la líneas punteadas (---) exteriores.

Sujeta la libélula por debajo, luego muévela de arriba para abajo y sus alas se moverán en la misma dirección.

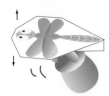

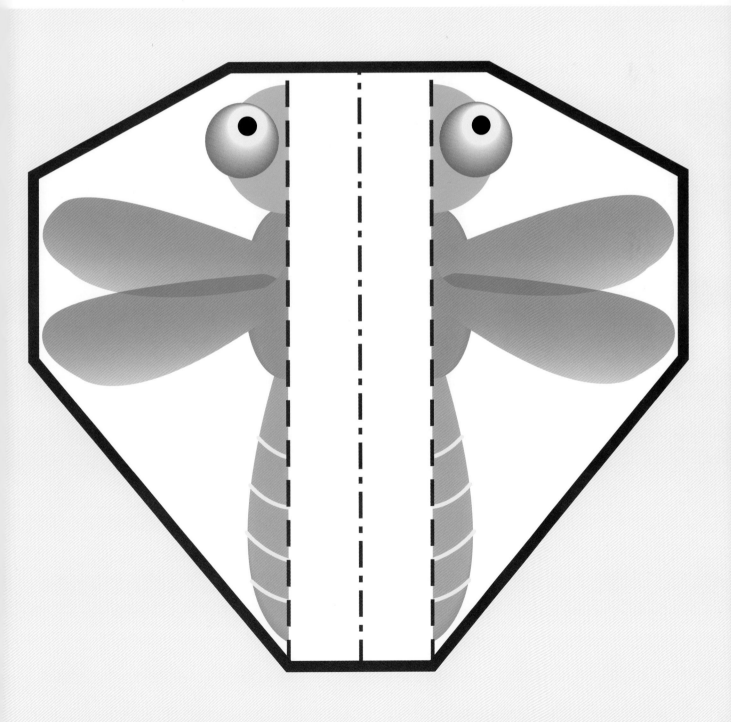

 **Pingüino**

 Cómo jugar

Sujeta la parte inferior del pingüino con tus dos manos y empújalo de arriba a abajo de modo que el pingüino camine meneándose.

① Recorta la figura cortando por la línea negra.

② Dobla por la línea punteada (– – –).

 ✳¡No cortes por la línea punteada (– – –)! Esta línea es solo para doblar.

Diploma de Cumplimiento

y se le felicita por haber terminado

Mi primer libro de Recortar

Dado el _____ , 26 ____

_____
Padre o tutor(a)

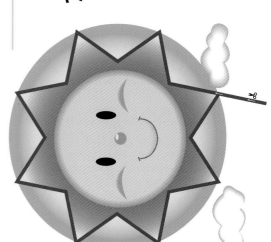